S0-AUY-056

tumba

Mira Canion

Tumba

Chapter photography by Mira Canion

Artwork and cover design by Alejandro Saldaña

Photographic contributions by Jean Louis Lacaille Múzquiz

Copyright ©2012 by Mira Canion. All rights reserved. No part of this book may be reproduced or transmitted in any form or by any means, electronic or mechanical, including photocopying, recording, or by any information storage or retrieval system, without permission in writing from Mira Canion.

Prohibida la reproducción o transmisión total o parcial de este libro sin la autorización por escrito de Mira Canion. La reproducción de cualquier forma- fotocopia, cinta magnética, disco o cualquier otra- constituye una infracción.

ISBN 978-0-9836958-5-1

Índice

Nota de la autora

Ghosts. They hardly seem believable and yet their stories surround us. I was recently intrigued by a Mexican belief that the sighting of a ghost indicates that a treasure is hidden nearby. Immediately, I thought of traditional beliefs about returning spirits during the Day of the Dead celebration.

What if that holiday were merged with a tale of ghosts protecting a hidden treasure? I also dug up a bit of history during the process.

During the 1910-1920 Mexican Revolution, rich rancheros (ranchers) began to secretly bury their valuables, because revolutionary groups were raiding ranches. The rancheros would steal away with a servant to a remote location and force him to dig a hole for the treasure. Once the ranchero's treasure was buried, he would shoot the servant and cast him into the same hole, forever safeguarding the location of the treasure. Dead men tell no tales. Or do they? Does our past ever come back to inform us about the present?

Once a year in Mexico, the spirits (espíritus) of the dead are believed to visit the living during the Day of the Dead. The celebration is a strange mix of humor, joy, and respectful remembrance. Friends exchange poems, called calaveras, that poke fun at their follies while homes, plazas, and cemeteries are packed with colorful decorations: candles, papel picado, sugar skulls, amusing skeleton figures, masks, and an overabundance of marigolds.

Whether you believe in ghost stories or not, it's time to enter my tale of the enticing tomb while you can still count yourself among the living.

Mira Canion
Erie, Colorado

Tamaulipas, México

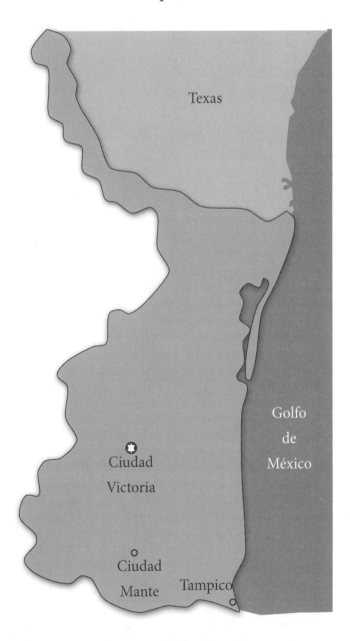

Texas

Golfo
de
México

Ciudad
Victoria

Ciudad
Mante

Tampico

Escuela pública en Mante

Es el 31 de octubre y Alex está nervioso. El primero de noviembre hay una celebración: el Día de los Muertos. La celebración es popular en México, pero a Alex no le gusta.

Alex está nervioso, porque los espíritus visitan los cementerios. Visitan las casas también. La abuela de Alex se comunica con los espíritus[1]. A Alex no le gustan las conversaciones con los espíritus. Alex está muy nervioso, porque su abuela no es normal. Su abuela habla intensamente con los espíritus durante la celebración.

En ese momento Alex está en la escuela. Es una escuela pública en Ciudad Mante, México. Alex está en el patio grande de la escuela. Hay muchos estudiantes en el patio. Los estudiantes tienen uniformes de dos colores: azul y blanco.

Hay dos grupos de estudiantes. El primer grupo tiene clases por la mañana. Las clases son de las 7:30 de la mañana a las 12:30 de la tarde. El segundo grupo tiene clases por la tarde. Las clases son de la 1:00 de la tarde a las 7:00 de la noche.

---

[1] Communication with the dead stems from a belief that the past is not dead.

Patio de la escuela

No hay clases mañana, el primero de noviembre. Alex está contento porque mañana no hay clases. A Alex no le gusta ir a la escuela. Le gusta hablar con sus amigos en la escuela, pero no le gustan mucho sus clases. Alex es inteligente, sociable y simpático. La clase de arte es su clase favorita. Le gusta dibujar y es un artista talentoso.

–¡Hola, Alex! ¿Qué tal? –exclama David y choca la mano de Alex.

David es muy amigo de Alex. David es deportista, paciente y simpático. Le gusta practicar deportes, especialmente el fútbol y el básquetbol. David practica los deportes en un club, porque no hay deportes en la escuela.

–¡Hola, David! –dice Alex.

–¿Qué tal tu clase? –pregunta David.

–No me gusta la clase de matemáticas –responde Alex.

–¿Por qué no te gusta? –pregunta David.

–Es muy difícil. También es aburrida. Muy aburrida –explica Alex.

A David le gusta la clase de matemáticas. Es su clase favorita. Pero no le gusta ir a la escuela. Le gusta más practicar deportes que ir a la escuela.

–La clase de matemáticas es aburrida porque es difícil para ti. ¿Y tu clase de ciencias naturales? –pregunta David.

–Es interesante, pero no es divertida –responde Alex.

–No hay clases divertidas –dice David, gracioso.

–Sí, hay. La clase de arte –explica Alex.

–Es una clase fácil para ti. Tú eres un artista talentoso. Te gusta dibujar. A mí no me gusta la clase de arte.

En ese momento los estudiantes del segundo grupo van a sus clases. Alex y David no tienen más clases. Alex pregunta:

–¿Qué te gustaría hacer? ¿Jugar videojuegos?

–¿Jugar videojuegos? ¡Perfecto! –responde David.

–Vamos a mi casa –le invita Alex.

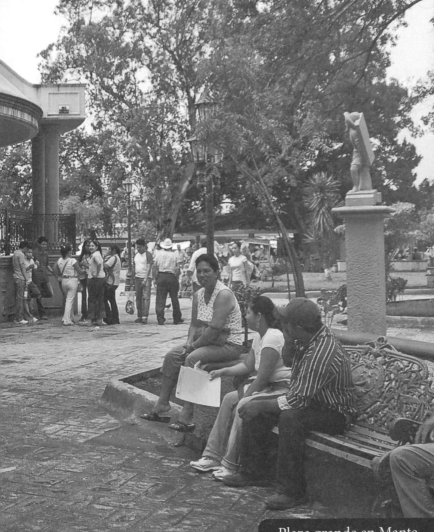

Plaza grande en Mante

Alex y David van hacia la casa de Alex. Pasan por un parque, la biblioteca pública y el cine. También pasan por la plaza principal de Ciudad Mante. Es una plaza muy grande. Hay muchas decoraciones del Día de los Muertos. Hay papel picado, flores anaranjadas y amarillas[2], figuras de esqueletos y calaveras de dulce. Los mexicanos usan las decoraciones para adornar las tumbas en el cementerio. También adornan un altar en sus casas.

Figuras de esqueletos

Calavera de dulce

---

[2] **Papel picado**- cut tissue paper, **flores**- typical flower used is the marigold since it smells like a human corpse.

A David le gustan las decoraciones, especialmente las máscaras de esqueletos. David y Alex observan las decoraciones con mucha atención. Están muy contentos porque les gusta ver las decoraciones.

Pero en ese momento Sergio pasa por la plaza. David observa a Sergio y dice:

–¡Ojo! Sergio está en la plaza.

A Alex no le gusta Sergio. Es un chico cruel, agresivo y conflictivo. No es ni simpático ni paciente. No es amigo de Alex.

–¡Hola, artista estúpido! –exclama Sergio y le pega violentamente en el brazo a Alex.

–Hola, Sergio –responde Alex nervioso.

–El arte es para las chicas –le insulta Sergio.

–No es cierto –dice Alex.

A Sergio no le gusta el comentario de Alex. Rápidamente Sergio le pega a Alex en el brazo. Alex no responde, porque Sergio es negativo, explosivo y violento.

–Escucha mi poema. Es una calavera sobre tu abuela –dice Sergio.

–No –interrumpe David, pero Sergio no le escucha.

Los mexicanos escriben poemas durante el Día de los Muertos. Los poemas se llaman calaveras. Las calaveras describen la muerte imaginaria de una persona. No son poemas serios. Son poemas graciosos, porque los mexicanos no están nerviosos de hablar de la muerte.

Sergio dice:

–La abuela de Alex es una bruja agresiva.

Por la noche se transforma en gata.

Habla con una chica loca y explosiva.

La chica ataca a Alex y lo mata.

–Alex, no escuches a Sergio. Es cruel –responde David.

–Adiós, artista estúpido –comenta Sergio cruelmente y va a casa.

Esqueletos

Figuras de esqueletos

Capítulo 3   El altar

Un altar

Alex y David entran en la casa de Alex. Es una casa pequeña. En la casa hay un altar. Hay muchas flores anaranjadas y amarillas en el altar. Las flores tienen un aroma peculiar.

La mamá y la abuela de Alex decoran el altar. Preparan el altar en honor al abuelo de Alex. El abuelo se llamaba Félix Hernández Montero. En el centro del altar hay una foto de Félix.

–Hola, mamá –dice Alex y le da un beso a su mamá.

–Hola –responde su mamá.

–¿Qué tal, abuela? –pregunta Alex y le da un beso a su abuela.

–Bien, Alex. Hola, David. Estás en tu casa –dice la abuela.

–Gracias, señora. El altar es fantástico –responde David.

Hay muchas decoraciones en el altar: flores, velas y los objetos favoritos del abuelo. Hay una guitarra porque al abuelo le gustaba tocar la guitarra y cantar. También le gustaba escuchar la música de mariachi.

–El Día de los Muertos es mi fiesta favorita –comenta la mamá.

–Es mi fiesta favorita también. Me gusta hablar con los espíritus, especialmente mi adorable Félix

Una casa en Mante

–explica su abuela.

La abuela de Alex se llama Rosario. Es muy reservada, paciente y misteriosa. También es seria. Le gusta bailar, escuchar música, leer libros y ver la tele. Le gusta mucho ver telenovelas en la tele. Telenovelas son muy populares en México.

También a su mamá le gusta ver telenovelas. En particular le gustan el drama y el romance. Ve las telenovelas de lunes a viernes por la noche.

La mamá de Alex se llama Blanca. Es sociable y trabajadora. Le gusta hablar por teléfono y pasar tiempo con sus amigas. También es deportista. Le gusta nadar y bailar.

–¡Ay, abuela! No me gustan tus conversaciones –comenta Alex nervioso.

–¿Por qué no te gustan? ¿Por el accidente? –pregunta su abuela.

–¿El accidente? –comenta David curioso.

–Una noche mi abuela hablaba con un espíritu cruel y negativo. El espíritu estaba furioso y mi abuela no tenía control de la situación. Entonces el espíritu entró en un gato negro. El espíritu controló al gato. Después el gato me atacó –explica Alex.

–¿El gato te atacó? ¡Ay! ¡Qué pena! –comenta David.

–Sí. Por favor, vamos a jugar videojuegos –responde Alex rápidamente.

David y Alex juegan videojuegos por dos horas. Pero Alex no juega bien, porque está nervioso. Juega muy mal.

Capítulo 4

Diagrama

Una casa pobre en Mante

Hoy Alex no va a la escuela. Alex está en casa. No hay clases porque hoy es el primero de noviembre.

Hay un aroma fantástico en la casa porque su mamá y su abuela preparan tamales. Al abuelo le gustaban mucho los tamales.

Alex observa el altar. Hay tamales, tortillas, fruta y agua de limón en el altar. También hay un libro. Alex ve el libro con atención. Alex no es muy estudioso, pero en ese momento tiene curiosidad por estudiar el libro. En el libro hay diagramas y dibujos.

Tortillas

–¿Qué es esto? –pregunta Alex con el libro en la mano.

–Diagramas del abuelo. No tienen importancia –responde su abuela.

–Hay muchos diagramas y dibujos. ¿Al abuelo le gustaba dibujar o escribir? –pregunta Alex.

–No exactamente. Tu abuelo era muy atrevido y trabajador –responde su abuela.

–¿Atrevido? –pregunta Alex.

–Le gustaba explorar –responde su abuela.

–¿Explorar qué? –pregunta Alex.

–Una cueva –dice su abuela.

–¿Una cueva? –responde Alex.

–El accidente de tu abuelo –dice su abuela pero no explica mucho.

Alex observa el libro con mucha atención. Observa un diagrama. Es un diagrama de una cueva. Hay muchas cuevas en la región. Hay cuevas grandes y pequeñas. También hay cuevas secretas.

–¿Una cueva? ¿Por qué el abuelo exploraba cuevas? –pregunta Alex.

–Dinero –responde su abuela.

–¿Dinero? Yo necesito más información –dice Alex.

Su abuela habla sobre los conflictos serios de México en 1910. Habla sobre la violencia de las clases sociales: los ricos y los pobres. Los ricos tenían mucho dinero y los pobres tenían poco dinero.

–Los ricos de los ranchos necesitaban escapar de los ranchos –explica su abuela.

–¿Por qué necesitaban escapar? –pregunta Alex.

–Los pobres estaban furiosos porque los ricos tenían mucho dinero. Entonces los pobres atacaron los ranchos y los ricos escaparon. Después los pobres controlaron los ranchos –continúa la abuela.

–Yo necesito explorar la cueva. ¿Dónde está la cueva? –pregunta Alex con mucha energía.

–No necesitas explorar la cueva. Es una mala idea. Un espíritu cruel defiende la entrada –explica su abuela.

–¿Un espíritu cruel? –responde Alex un poco nervioso.

Su abuela no responde, porque prepara el altar. Pero a Alex no le importa. Observa los papeles y tiene una idea: explorar la cueva.

Capítulo 5

Cementerio

Un cementerio

Hoy es el dos de noviembre. Muchas personas van al cementerio. Alex y su familia van al cementerio también. La tumba del abuelo está en el cementerio. Alex va con su abuela, su mamá, su papá y su hermana que se llama Nora.

La familia de Alex adorna la tumba con flores, papel picado y velas. También un grupo de músicos está frente a la tumba. Es un grupo de mariachis. Hay tres personas en el grupo. Las tres personas tocan la guitarra y cantan para la familia de Alex.

–¡Ay, ay, ay, ay! Canta y no llores, porque cantando se alegran, Cielito lindo, los corazones[3] –cantan los tres mariachis.

Cantan las canciones favoritas del abuelo. La familia

Mariachis

[3] **Verse from Cielito lindo**- Sing and don't cry because, sweetie, singing makes the heart glad.

de Alex canta también en memoria del abuelo. Después el grupo recibe dinero de la familia.

En ese momento Sergio y su familia entran en el cementerio. Van hacia una tumba. Sergio mira a Alex con ojos crueles. Alex está un poco nervioso. Después Sergio mira a Nora, la hermana de Alex.

Nora es una chica simpática, atrevida y sociable. Le gusta pasar tiempo con sus amigos, escuchar música, bailar y nadar. Es una chica inocente y atractiva. No comprende que Sergio tiene malas intenciones.

Sergio mira románticamente a Nora. Y Nora mira contenta a Sergio. A Alex no le gusta la situación. Sergio escucha y baila con la música. Sergio pregunta románticamente a Nora:

–Hola, preciosa. Eres muy atractiva.

–Gracias –responde Nora.

–¿Qué te gusta hacer? ¿Te gusta bailar? –pregunta Sergio.

–Me gusta mucho bailar –dice Nora.

–Nora, no hables con Sergio –interrumpe Alex.

–¡Alex! No me gusta tu tono –dice el papá de Alex.

–Sí, papá –responde Alex con mucho respeto.

–Adiós, preciosa –le dice Sergio a Nora y va a la tumba de su familia.

¿Te gusta bailar?

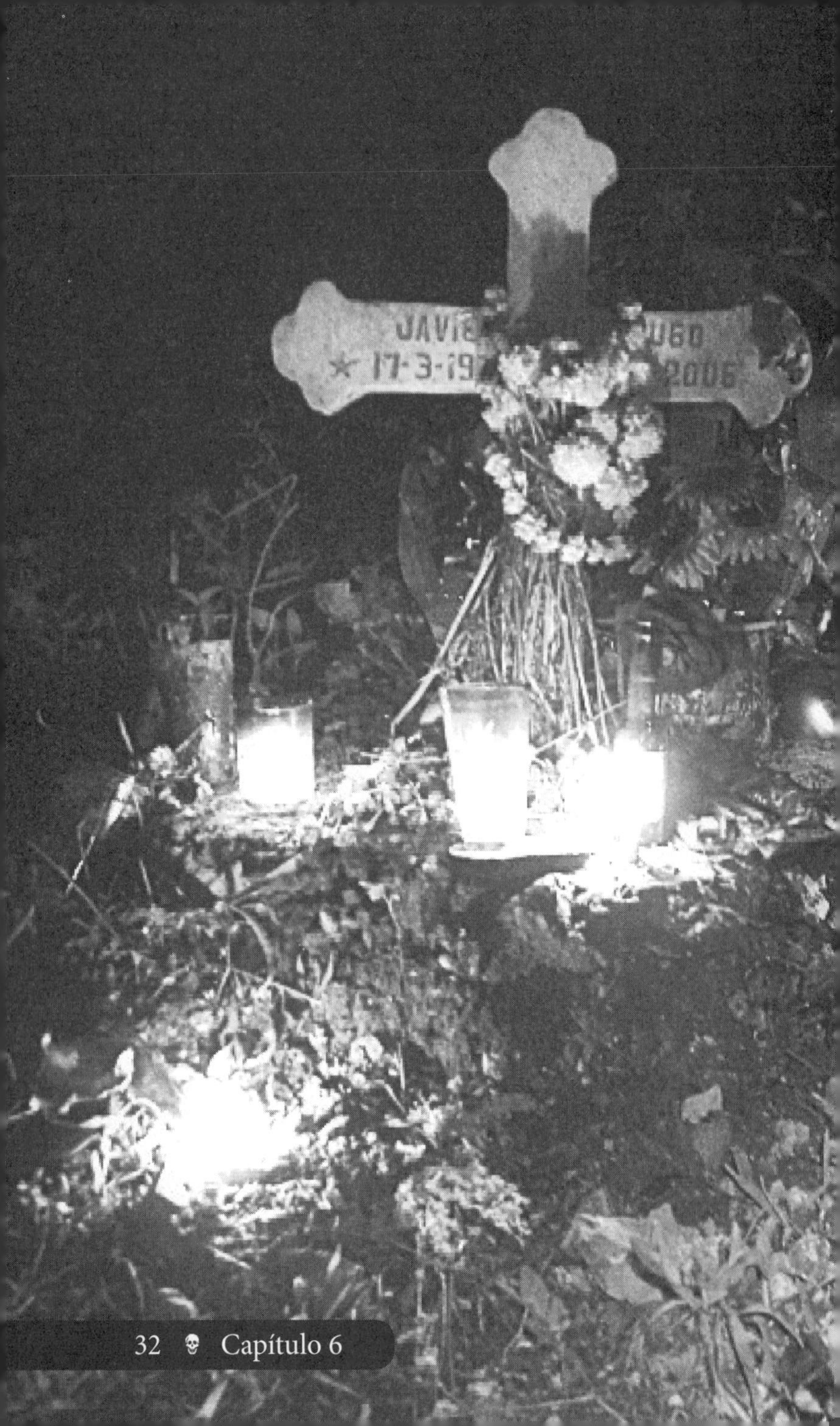

Una tumba

La familia de Alex prepara la tumba del abuelo. Hay muchos pétalos de flores, velas y papel picado. Su familia está muy contenta. Su mamá habla sobre el abuelo. Habla sobre las actividades favoritas del abuelo. Al abuelo le gustaba explorar cuevas. Alex escucha a su mamá con mucha atención.

–¿Por dónde exploraba el abuelo? ¿Por qué exploraba cuevas? –pregunta Alex con mucha emoción.

Su mamá mira a la abuela pero la abuela no le responde a Alex. Su abuela está en silencio porque se comunica con los espíritus. También su abuela se comunica con el espíritu del abuelo. Y Alex está nervioso.

En ese momento su abuela está muy impaciente. Ella recibe información importante del abuelo. Repite la información del abuelo a la familia.

–¡Explorar el túnel! El túnel se conecta con una cueva. En la cueva hay mucho dinero –repite su abuela en un trance.

Alex escucha a su abuela con mucha atención.

–¡Ojo! Un espíritu malo defiende la entrada del túnel –repite su abuela.

Su abuela describe el túnel y la cueva. En un papel Alex dibuja el túnel y la cueva. Alex es un artista talentoso. Dibuja el túnel y la cueva con mucha preci-

sión. Pero hay un problema: Sergio también escucha
la descripción del túnel.

Capítulo 7   Mapa

Escuela pública en Mante

En casa Alex compara el mapa del abuelo con el dibujo del túnel. Alex estudia el mapa con atención. En ese momento su hermana entra en su dormitorio.

–¿Qué estudias? –pregunta Nora.

–Un mapa para mi clase de geografía –responde Alex.

–¿Tú? ¿Estudioso? –comenta Nora.

–Sí, tengo un examen –dice Alex en tono deshonesto.

Nora mira el mapa con curiosidad.

–No tienes un examen. ¿Qué es esto? ¿No es el mapa del abuelo? –pregunta Nora.

–Sí, es el mapa del abuelo –confiesa Alex.

–¿Para qué tienes el mapa? –pregunta Nora.

–Para explorar una cueva –explica Alex.

–Yo también necesito explorar la cueva –exclama Nora.

–¡No, no y no! –responde Alex firmemente.

En ese instante su mamá entra en el dormitorio.

–David está aquí –informa su mamá.

–Gracias, mamá. Y adiós, Nora –responde Alex.

Nora va con su mamá y David entra en el dormitorio.

–¿Qué tal? –pregunta Alex.

Dormitorio

–Muy bien –responde David.

–El mapa es perfecto –dice Alex contento.

–¿Vamos a explorar la cueva entonces? –pregunta David.

–Mañana, después de las clases –confirma Alex.

En la escuela

Es el cuatro de noviembre. David y Alex están en el patio de la escuela. El patio es grande y está en el centro de la escuela. Hay muchos estudiantes en el patio. Son las 9:30 de la mañana. Los estudiantes tienen un recreo de 15 minutos.

–¿Qué clase tienes en la tercera hora? –pregunta David.

–Tengo la historia de México –responde Alex.

–¡Qué clase aburrida! –exclama David.

–¿Y tú? ¿Qué clase tienes? –pregunta Alex.

–Tengo inglés. No me gusta la clase porque es difícil –declara David.

–Tengo que ir a mi clase. ¡Adiós! –exclama Alex.

–Adiós –responde David.

Después de las clases, David y Alex están en el patio. Son las 12:40 de la tarde. David y Alex no tienen más clases hoy. Es hora de ir a casa.

Hay muchos estudiantes en el patio. Los estudiantes hablan mucho. Un grupo juega fútbol. No hay autobuses de la escuela. Los estudiantes caminan a casa o usan el transporte público.

David y Alex no caminan a casa. Van a explorar la cueva. Es un día perfecto para explorar la cueva. El clima está perfecto.

–¿Tienes el mapa? –pregunta David.

–Sí, y tengo el dibujo también –responde Alex.

–Perfecto. ¡Vamos! –exclama David.

Nora observa a David y a Alex en el patio. David y Alex no ven a Nora porque hay muchos estudiantes en el patio. Cuando David y Alex caminan por el patio, Nora decide caminar detrás de ellos. Y en secreto, Sergio camina detrás de Nora.

El campo de Mante

Alex y David exploran Ciudad Mante por una hora. Miran el mapa y caminan hacia la cueva del diagrama.

–Normalmente hay un espíritu frente al túnel –dice Alex.

–¿Por qué? –pregunta David.

–El espíritu defiende el dinero de la cueva –explica Alex.

–No comprendo nada –declara David.

–En 1910 los ricos planearon escapar de los ranchos, porque los pobres atacaban los ranchos. Pero era imposible escapar con el dinero. El dinero estaba en unos cofres. Era difícil transportar los cofres, porque los cofres eran grandes –dice Alex.

–Entonces, ¿qué pasó? –pregunta David.

–Generalmente un rico transportaba los cofres en secreto. Los transportaba con un sirviente –responde Alex.

–¿Adónde? –pregunta David.

–Al campo. En el campo el sirviente preparaba una tumba para los cofres. Pero el rico tenía un problema. El sirviente observaba con atención donde estaban los cofres. Al rico no le gustaba la situación –explica Alex.

–¿Y la solución? –dice David.

–El rico tenía una pistola y mataba al sirviente con la pistola –explica Alex.

–¿Mataba al sirviente? –pregunta David.

–Exactamente. El sirviente estaba muerto en la tumba y hoy su espíritu defiende los cofres –responde Alex.

–¡Qué interesante! –exclama David.

En ese momento Alex estudia el mapa con mucha atención.

–El túnel está por aquí –dice Alex.

–¡Mira, la entrada del túnel! –exclama David.

Alex y David caminan hacia la entrada.

–¿Quién entra en el túnel? ¡Es mi túnel! –exclama una persona.

–¿Qué es esto? –pregunta David.

–¡Es el espíritu del túnel! Yo no entro –responde Alex nervioso.

Muy rápido Alex y David corren hacia su casa. Realmente no hay un espíritu. Es Sergio y está frente al túnel. Cuando Alex y David corren hacia su casa, Sergio entra en el túnel. Sergio está muy contento, porque Alex y David corren a casa.

Pero Nora observa a Sergio. Observa que Sergio

entra en el túnel. Nora corre detrás de Alex y de David.

–¡Alex! ¡David! ¡Un momento! –exclama Nora.

–¿Es otro espíritu? –dice David.

–No, es mi hermana –responde Alex.

Con calma Nora explica la situación.

–No es un espíritu. Es Sergio. Ahora Sergio está en el túnel –explica Nora.

–¿Qué? ¿Sergio está aquí? –exclama Alex.

–¡Vamos! ¡Vamos a entrar en el túnel! –urge David.

Poza azul en Mante

Capítulo 9   Nadar

Una cueva

Sergio camina por el túnel. Tiene una linterna en la mano. Camina con precaución. También Alex, David y Nora entran en el túnel. Hay agua en el túnel. Hay mucha agua.

–¡Vamos a nadar! –dice David.

–¡Ay, no! ¡No me gusta nadar! –exclama Alex nervioso.

–Pero a mí me gusta nadar –responde David contento.

–A mí también –comenta Nora.

–¡Vamos! ¡Vamos a nadar! –insiste David.

Los tres nadan en el túnel. Es un poco difícil nadar en el túnel. Después de nadar cinco minutos entran en una cueva. Ven a Sergio en la cueva. Sergio está en una plataforma. Tiene un cofre de dinero en las manos. En el cofre hay mucho dinero. Alex, David y Nora nadan hacia Sergio.

Alex nada

–¡Ay, no! ¡Necesito mi dinero! –dice Alex.

–¿Tu dinero? ¡Es mi dinero! –exclama Sergio.

–¿Qué? ¡No es tu dinero! –declara David.

–Por favor, Sergio. Tú tienes el dinero gracias a mi abuelo –comenta Nora.

Alex está furioso y nada hacia Sergio. Pero Sergio corre por la plataforma para escapar. En ese momento ocurre un accidente. Sergio se pega en la cabeza con una roca. Entonces Sergio y el cofre caen[4] accidental-mente al agua. El cofre es grande y atrapa a Sergio en el agua. No es posible escapar.

Alex, David y Nora nadan hacia Sergio. Con mucha dificultad salvan a Sergio, pero está muy mal.

–¿Qué te duele, Sergio? –pregunta Nora.

–¡Ay! Me duele el pie –responde Sergio.

–¿No te duele la cabeza? –pregunta Nora.

–No, me duelen los ojos –dice Sergio y mira román-ticamente a Nora.

–¿Te duelen los ojos? –comenta Nora confusa.

–Me duelen los ojos porque tú eres muy atractiva –responde Sergio.

---

[4] **Caen** - they fall

Es evidente que Sergio está interesado en Nora. Y a Nora le gusta la atención. Pero a Alex no le gusta nada la situación, porque Sergio no es simpático.

–Por favor, no me gusta ver una telenovela romántica –declara Alex

–¡Vamos al hospital! –urge David.

–¡Qué buena idea! –exclama Alex.

David, Alex, Nora y Sergio nadan por el túnel. Sergio no nada muy rápido porque le duele el pie. Después van con Sergio al hospital.

Capítulo 10   **Artista**

Van al hospital

Sergio está en el hospital. Tiene una fractura en el pie. Alex, David y Nora hablan con Sergio.

–¿Cómo estás, Sergio? –pregunta Nora.

–Tengo una fractura en el pie –responde Sergio.

–Ay, qué pena –comenta David.

–Gracias por salvarme –dice Sergio con emoción a los tres.

–De nada –responde Alex.

–Alex, perdóname. Soy cruel y agresivo. Tú no eres un artista estúpido. Eres un artista excelente y talentoso –explica Sergio.

Realmente Sergio no es una persona cruel.

–Gracias, Sergio –responde Alex.

–¿Cuándo entras en la cueva? –pregunta Sergio.

–Mañana. Mañana entro en la cueva. Pero las personas son más importantes que el dinero –declara Alex.

–Correcto. Especialmente Nora. Es más preciosa que el dinero –comenta Sergio.

Nora está muy contenta y Sergio también.

–¿Qué te gusta hacer, Sergio? –pregunta Nora.

–Me gusta jugar videojuegos, nadar y ver la tele –responde Sergio.

–¿Te gusta jugar videojuegos? Vamos a jugar

videojuegos en mi casa –le invita Alex.

–¡Qué buena idea! –acepta Sergio.

Nora, Alex, David y Sergio van hacia la casa. Cuando entran en la casa, la abuela está en silencio. Pero Alex no está nervioso. Acepta y respeta a su abuela porque tiene un talento fantástico. Su abuela se comunica con los espíritus. También conecta a Alex con su abuelo. Ahora a Alex le gusta la celebración del Día de los Muertos.

Glosario

a - to, at
abuela - grandma
abuelo - grandpa
aburrida - boring
accidentalmente - accidently
accidente - accident
acepta - s/he accepts
actividades - activities
adiós - good-bye
adónde - to where
adorable - adorable
adorna - s/he adorns
adornan - they adorn
adornar - to adorn
agresivo/a - aggressive
agua - water
ahora - now
al - to the, at the
alegran - they gladden
altar - altar
amarillas - yellow
amigo - friend
anaranjadas - orange
aquí - here
aroma - aroma
arte - art
artista - artist
atacó - s/he attacked
ataca - s/he attacks
atacaban - they were attacking
atacaron - they attacked
atención - attention
atractiva - attractive
atrapa - s/he traps
atrevido/a - bold, daring
autobuses - buses

ay - oh
azul - blue
baila - s/he dances
bailar - to dance
beso - kiss
biblioteca - library
bien - well
blanco/a - white
brazo - arm
bruja - witch
básquetbol - basketball
buena - good
cabeza - head
caen - they fall
calavera - skull, poem
calaveras de dulce - sugar skulls
calma - calmness
camina - s/he walks
caminan - they walk
caminar - to walk
campo - field, countryside
canciones - songs
canta - s/he sings
cantan - they sing
cantando - singing
cantar - to sing
capítulo - chapter
casa - house
celebración - celebration
cementerio - cemetery
centro - center
chica - girl
chico - boy
choca - s/he hits
Cielito lindo - popular Mexican song

ciencias naturales - science
cierto - true
cinco - five
cine - movie theater
ciudad - city
clase - class
clima - climate
club - club
cómo - how
cofre - chest
colores - colors
comenta - she comments
comentario - commentary
compara - s/he compares
comprende - s/he comprehends
comprendo - I comprehend
comunica - s/he communicates
comunicación - communication
con - with
conecta - s/he connects
confiesa - s/he confesses
confirma - s/he confirms
conflictivo - quarrelsome
conflictos - conflicts
confusa - confused
consideran - they consider
contento/a - happy
continúa - continues
control - control
controló - s/he controlled
controlaron - they controlled
conversaciones - conversations
corazones - hearts
corre - s/he runs
correcto - correct
corren - they run
cruel - cruel

cruelmente - cruelly
cuando - when
cuatro - four
cueva - cave
cuándo - when
curiosidad - curiosity
curioso - curious
da - s/he gives
día - day
de - of, from
decide - s/he decides
declara - s/he declares
decoraciones - decorations
decoran - they decorate
defiende - s/he defends
del - of the
deportes - sports
deportista - athletic
describe - s/he describes
describen - they describe
descripción - description
deshonesto - dishonest
después - after
detrás - behind
diagrama - diagram
dibuja - s/he draws
dibujar - to draw
dibujo - the drawing
dice - s/he says
difícil - difficult
dificultad - difficulty
dinero - money
divertida - fun
dónde - where
dormitorio - bedroom
dos - two
drama - drama

duele - it hurts
duelen - they hurt
durante - during
el - the
ella - she
ellos - they
emoción - emotion
en - in
energía - energy
entonces - then
entró - s/he entered
entra - s/he enters
entrada - entrance
entran - they enter
entrar - to enter
entras - you enter
entro - I enter
era - s/he was
eran - they were
eres - you are
es - is
escapar - to escape
escaparon - they escaped
escriben - they write
escribir - to write
escucha - s/he listens
escuchar - to listen
escuches - you listen (negative command)
escuela - school
ese - that
especialmente - especially
espíritu - spirit
esqueletos - skeletons
está - s/he is
estaba - s/he was
estaban - they were

están - they are
esto - this
estúpido - stupid
estás - you are
estudia - s/he studies
estudiantes - students
estudiar - to study
estudias - you study
estudioso - studious
evidente - evident
exactamente - exactly
examen - exam
excelente - excellent
exclama - s/he exclaims
explica - s/he explains
exploraba - s/he explored
exploran - they explore
explorar - to explore
explosivo/a - explosive
familia - family
fantástico - fantastic
favorita - favorite
fácil - easy
fiesta - party
figuras - figures
firmemente - firmly
flores - flowers
foto - photo
fractura - fracture
frente a - in front of
fruta - fruit
fútbol - soccer
furioso - furious
gato/a - cat
generalmente - generally
geografía - geography
gracias - thanks

gracioso - funny
grande - big
grupo - group
guitarra - guitar
gusta - it's pleasing, liked
  me gusta - I like, it's pleasing to me
  te gusta - you like, it's pleasing to you
  le gusta - s/he likes, it's pleasing to him/her
gustaba - it was pleasing, liked
gustaban - they were pleasing, liked
gustan - they are pleasing, liked
gustaría - it would be pleasing, liked
habla - s/he speaks
hablaba - s/he was speaking
hablan - they speak
hablar - to speak
hables - you speak (negative command)
hacer - to do
hacia - towards
hay - there is, there are
hermana - sister
historia - history
hola - hi
honor - honor
hora - hour
hospital - hospital
hoy - today
idea - idea
imaginaria - imaginary
impaciente - impatient
importa - it matters

importancia - importance
importante - important
imposible - impossible
informa - s/he informs
información - information
inglés - English
inocente - innocent
insiste - s/he insists
instante - instant
insulta - s/he insults
inteligente - intelligent
intenciones - intentions
intensamente - intensely
interesado - interested
interesante - interesting
interrumpe - s/he interrupts
invita - s/he invites
ir - to go
juega - s/he plays
juegan - they play
jugar - to play
la - the
las - the
le - him/her
leer - to read
les - them
libro - book
limón - lime
linterna - flashlight
llama/ se llama - s/he is called
llamaba/ se llamaba - s/he was called
llaman - they are called
llores - you cry (negative command)
lo - it
loca - crazy

los - the
lunes - Monday
mí - me
mañana - tomorrow, morning
malo/a - bad
mamá - mom
mano - hand
mapa - map
mariachi - Mariachi
mata - s/he kills
mataba - s/he killed
matemáticas - math
me - me
memoria - memory
mexicanos - Mexicans
mi - my
minutos - minutes
mira - s/he looks
miran - they look
misteriosa - mysterious
momento - moment
más - more
máscaras - mask
música - music
músicos - musicians
mucho/a - much
muerte - death
muerto - dead
muertos - dead
muy - very
México - Mexico
nada - s/he swims
nadan - they swim
nadar - to swim
necesitaban - they needed
necesitas - you need
necesito - I need

negativo - negative
negro - black
nervioso - nervous
ni - neither
no - no
noche - night
normal - normal
normalmente - normally
noviembre - November
o - or
objetos - objects
observa - s/he observes
observaba - s/he observed
observan - they observe
octubre - October
ocurre - occurs
ojo - watch out
ojos - eyes
otro - other
paciente - patient
papá - dad
papel picado - cut tissue paper
papeles - papers
para - for, in order to
parque - park
particular - particular
pasó - happened
pasa - s/he passes
pasan - they pass
pasar tiempo - to spend time
patio - patio
público/a - public
peculiar - peculiar
pega - s/he hits
pena - pain
pequeña - small
perdóname - forgive me

perfecto - perfect
pero - but
persona - person
pie - foot
pistola - pistol
planearon - they planned
plataforma - platform
plaza - plaza
pobres - the poor
poco - a little
poema - poem
popular - popular
por - at, for, by, through
por favor - please
porque - because
posible - possible
practica - s/he practices, plays
practicar - to practice, play
precaución - caution
preciosa - precious, beautiful
precisión - precision
pregunta - s/he asks
prepara - s/he prepares
preparaba - s/he prepared
preparan - they prepare
primer - first
principal - main
problema - problem
pétalos - petals
qué - what
qué tal - how are you
que - that
quién - who
ranchos - ranches
realmente - really
recibe - s/he receives
recreo - recess

región - region
repite - s/he repeats
reservada - reserved
respeta - s/he respects
respeto - respect
responde - s/he responds
rico - rich, wealthy person
ricos - the rich
roca - rock
romance - romance
romántica - romantic
románticamente - romantically
rápidamente - fast
rápido - fast
sí - yes
salvan - they save
salvarme - saving me
secreto - secret
segundo - second
señora - madam
seria - serious
silencio - silence
simpático/a - nice
sirviente - servant
situación - situation
sobre - about
sociable - sociable
sociales - social
solución - solution
son - they are
soy - I am
su - his, her
sus - his, her
tú - you
talento - talent
talentoso - talented
tamales - tamales

también - also
tampoco - neither
tarde - afternoon
te - you
tele - T.V.
telenovela - soap opera
teléfono - telephone
tenía - s/he had
tenían - they had
tengo - I have
tercera - third
ti - you
tiene - s/he has
tienen - they have
tienes - you have
túnel - tunnel
tocan - they play
tocar - to play
tono - tone
tortillas - tortillas
trabajador/a - hardworking
trance - trance
transforma en - s/he transforms into
transportaba - s/he transported
transportar - to transport
transporte - transportation
tres - three
tu/ tus - your
tumba - tomb
un/ una - a, an
uniformes - uniforms
unos - some
urge - s/he urges
usan - they use
va - s/he goes
vamos - let's go

van - they go
ve - s/he sees
velas - candles
ven - they see
ver - to see
videojuegos - video games
viernes - Friday
violencia - violence
violentamente - violently
violento - violent
visitan - they visit
y - and
yo - I

Notas

Themes and places for you to explore further:

☠ Ciudad Mante, Tamaulipas, Mexico

☠ Caves, rivers, and springs in Mante and Tamaulipas

☠ Tourist Attractions: Nacimiento, La Aguja/The Needle, Beaches of Limon, the caves El Abra & Quintero, El Cielo (The Heaven) a protected cloud forest, and Servilleta Canyon

☠ Sister Cities: Boulder, Colorado and Ciudad Mante

☠ Aztec origins of the Day of the Dead combined with Spanish Catholic All Saints' Day

☠ Views of death, life, and the after life

☠ Mictlantecuhtli- Aztec god of the dead

☠ November 1st- Día de los Inocentes or Día de los Angelitos

☠ November 2nd- Día de los Muertos or Día de los Difuntos

☠ Recent influences of U.S. Halloween traditions

☠ Altar/ofrenda, cempasúchil flower, pan de muerto, tamales, fruits, velas/candles, calaveras de azúcar, photos of the deceased

☠ The altar's four main elements of nature- earth, wind, water, and fire

☠ Agua fresca- freshly squeezed fruit and water

☠ Skeletons: Calavera, cráneo, calaca, esqueletos

☠ Jose Guadalupe Posada- 19th Century cartoon illustrator

☠ Visits to the cemetery- cementerio, panteón, tumba

☠ Poems or calaveras to mock the living

☠ Traditional play "Don Juan Tenorio: Religious-Fantasy Drama in Two Parts" by Jose Zorrilla

- Beliefs regards the return of spirits, talking with/sensing the presence of dead souls
- Regional and country variations
- Mariachis and traditional songs like "Cielito lindo"
- Ranchos, haciendas
- Choca la mano, le da un beso- physical contact in the Hispanic world
- Importance of family members
- Pirópos- romantic compliments
- Folklore about witches taking the form of cats and owls
- Mexican school system, classes, SEP, schedule, uniforms, turnos- matutino & vespertino, the role of the patio
- Sports at clubs rather than at school
- Mexican artists: Diego Rivera, Frida Kahlo, Jose Clemente Orozco, Ruben Ortiz Torres, David Alfaro Siqueiros, Rufino Tamayo, Remedios Varo
- Telenovelas- popular T.V. melodramatic serialized fiction
- Mexican Revolution (1910-1920) and the legends of rich landowners burying treasures
- Folklore about ghosts that protect hidden treasures

Agradecimiento

Many thanks to Penelope Amabile, Laura Anaya Zuchovicki, Vilma Montealegre, Cristin Bleess, PJ Mallinckrodt, Leticia Abajo, Alejandro Saldaña, Matthew Valdés, and Jean Louis Lacaille Múzquiz.

Mural de las ciudades hermanas: Boulder y Mante

Sobre la autora

Mira Canion is an energizing presenter, author, photographer, stand-up comedienne, and high school Spanish teacher in Colorado. She has a background in political science, German, and Spanish. She is also the author of the popular, historical novellas *Piratas del Caribe y el mapa secreto, Rebeldes de Tejas, Agentes secretos y el mural de Picasso, La Vampirata, Rival* as well as teacher's manuals. For more information, please consult her website: **www.miracanion.com.**